Nederlands oefenen

Taalpuzzels met 1000 basiswoorden

© 2020 Peter Schoenaerts en uitgeverij Boeklyn® / Puzzle Academy

Uitgeverij Boeklyn
Franklin Rooseveltlaan 58
1800 Vilvoorde (België)

www.boeklyn.com

Eindredactie: Taal en Tekst
Vormgeving: Palabras
Illustraties: Ilham Fatkurahman
en **pixabay** 📷

Foutje ontdekt? Feedback of suggestie? Mail naar info@boeklyn.com

NUR 493, 623
ISBN 9789463882743
D/2020/14735/02

Peter Schoenaerts

Nederlands
oefenen

Taalpuzzels
met 1000 basiswoorden

uitgeverij Boeklyn

INHOUD

Kruiswoordraadsel

Schrijf het woord.
Let op: de ij is één letter.

HORIZONTAAL

2) 11

3) 40

5) 10

6) 20

7) 30

10) 6

11) 4

13) 12

14) 1000

17) 1

18) 100

VERTICAAL

1) 9

3) 14

4) 80

8) 2

9) 13

11) 5

12) 3

15) 7

16) 8

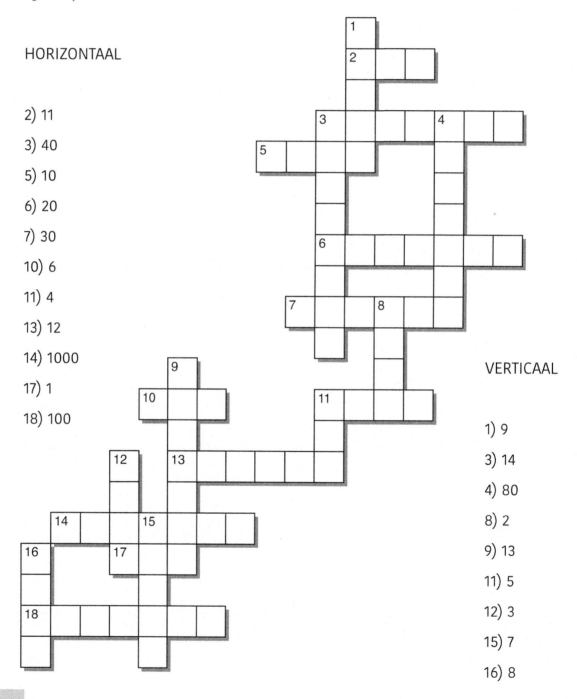

Woordzoeker

FAMILIE

Welke familieleden kun je vinden?
Zoek horizontaal, verticaal en diagonaal.

broer	moeder	ouders
dochter	neef	tante
gezin	nicht	vader
grootmoeder	oma	zoon
grootvader	oom	zus
kind	opa	

A	E	F	D	G	I	O	T	C	M	F	N	F	X	J
D	S	G	R	O	O	T	M	O	E	D	E	R	P	K
M	W	O	S	IJ	H	G	P	Q	A	E	R	A	T	B
P	X	U	W	B	O	R	Z	IJ	N	K	H	M	A	O
M	Z	O	S	U	R	O	Z	S	A	G	O	Z	N	E
O	C	F	P	G	D	O	C	H	T	E	R	O	T	V
E	V	T	V	A	Y	T	E	J	IJ	Z	Y	O	E	A
D	K	U	U	D	I	V	Q	R	V	I	U	N	E	D
E	L	R	N	N	L	A	H	K	L	N	G	O	A	E
R	P	I	W	O	U	D	E	R	S	J	K	M	K	R
M	K	U	I	M	X	E	U	J	E	Z	O	O	M	T
N	T	E	C	IJ	B	R	Y	N	I	C	H	T	P	L

7

Woordzoeker

Kun je alle woorden vinden?
Zoek horizontaal, verticaal en diagonaal.

achternaam	jongen	trouwen
adres	leeftijd	voornaam
beroep	man	vriend
geboortedatum	meisje	vriendin
handtekening	nationaliteit	vrouw
inwoner	scheiden	

B	N	A	T	I	O	N	A	L	I	T	E	I	T	H
R	I	D	V	O	O	R	N	A	A	M	T	J	R	A
O	N	R	D	N	E	J	K	N	A	Y	A	O	O	N
E	W	E	Z	V	IJ	R	I	A	S	N	L	N	U	D
C	O	S	I	M	V	M	N	G	E	U	I	G	W	T
Y	N	C	A	E	M	R	G	D	P	D	K	E	E	E
M	E	I	S	J	E	A	I	U	N	L	B	N	N	K
D	R	N	A	T	P	E	B	E	R	O	E	P	C	E
P	I	V	H	H	H	U	I	T	N	F	G	N	X	N
Q	O	C	IJ	C	V	R	O	U	W	D	C	H	IJ	I
E	A	Z	S	H	V	L	E	E	F	T	IJ	D	X	N
G	E	B	O	O	R	T	E	D	A	T	U	M	W	G

Kruiswoordraadsel

Hoe heten deze dieren?
Let op: de ij is één letter.

Woordzoeker

Kun je alle woorden vinden?
Zoek horizontaal, verticaal en diagonaal.

tijd

morgen

ochtend

middag

avond

nacht

datum

nu

seconde

minuut

uur

week

weekend

B	S	K	N	A	C	H	T
L	E	C	U	E	D	W	E
U	C	M	I	D	D	A	G
R	O	X	Y	F	T	V	X
I	N	S	A	U	B	O	F
E	D	E	U	O	I	N	J
M	E	N	IJ	Z	H	D	W
S	I	O	D	A	IJ	V	E
M	T	D	A	T	U	M	E
A	D	Z	G	R	J	O	K
W	M	L	H	R	P	R	E
E	T	K	U	G	N	G	N
E	S	U	F	O	U	E	D
K	O	C	H	T	E	N	D
A	C	J	N	P	I	Q	V

DAGEN

Welk woord zoeken we?
Let op: de ij is één letter.

HORIZONTAAL

4) de dag na morgen
6) de dag voor gisteren
8) de eerste dag van de week
9) de zesde dag van de week
10) de tweede dag van de week
11) de vijfde dag van de week

VERTICAAL

1) de dag na vandaag
2) de vierde dag van de week
3) de derde dag van de week
5) de dag voor vandaag
7) deze dag
9) de zevende dag van de week

Woordzoeker

Kun je alle woorden vinden?
Zoek horizontaal, verticaal en diagonaal.

maand

januari

februari

maart

april

mei

juni

juli

augustus

september

oktober

november

december

D	N	O	V	E	M	B	E	R
E	F	O	L	P	I	A	J	F
S	U	M	A	IJ	L	U	U	D
E	A	U	A	P	R	I	L	E
P	S	U	K	A	L	M	I	C
T	M	P	G	E	N	S	N	E
E	J	W	F	U	T	D	E	M
M	U	P	O	R	S	J	T	B
B	N	K	A	M	C	T	I	E
E	I	A	K	E	G	R	U	R
R	M	A	U	R	A	S	T	S
F	E	B	R	U	A	R	I	U
V	L	O	N	I	R	K	O	H
E	A	A	I	W	J	N	A	M
C	J	G	H	I	Z	M	B	E
O	K	T	O	B	E	R	A	I

Kruiswoordraadsel

Welk woord betekent hetzelfde?
Let op: de ij is één letter.

HORIZONTAAL

1) sorry

3) moment

6) dank je

9) fijn

11) blij

12) prachtig

VERTICAAL

2) meteen

4) vreemd

5) vaak

7) wc

8) vriendelijk

10) boos

Kruiswoordraadsel

Wat eet en drink je bij het ontbijt?

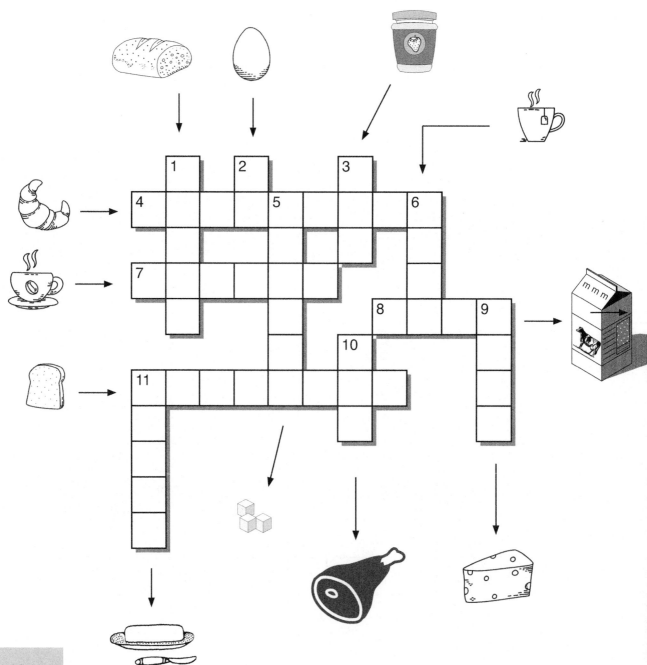

AAN TAFEL

Kun je alle woorden vinden?
Zoek horizontaal, verticaal en diagonaal.

honger	fles	koken	soep	rijst
dorst	glas	lekker	lepel	spaghetti
eten	kopje	heerlijk	vork	peper
drinken	bord	vlees	mes	zout

D	E	F	D	V	U	M	O	N	P	E	P	E	R	F
B	L	R	IJ	H	T	U	V	O	R	K	H	Z	A	L
J	O	K	D	A	T	S	C	J	M	K	O	P	J	E
B	G	S	D	U	L	P	R	IJ	S	T	N	O	P	S
F	U	J	O	L	O	A	F	O	V	E	Q	S	E	R
C	T	Z	R	E	N	G	O	L	T	P	N	E	B	I
G	H	P	S	P	P	H	P	E	I	J	L	K	P	H
U	D	IJ	T	E	A	E	G	K	C	V	W	S	IJ	M
W	V	R	D	L	M	T	R	K	IJ	X	U	L	G	E
D	E	G	I	T	O	T	S	E	R	J	L	I	F	S
G	S	O	A	N	S	I	S	R	H	O	N	G	E	R
L	U	IJ	D	H	K	O	K	E	N	B	W	C	Z	E
A	E	P	O	T	H	E	K	V	R	M	O	U	C	A
S	A	B	L	U	N	A	N	H	E	E	R	L	IJ	K

Kruiswoordraadsel

Hoe heten deze soorten groente en fruit?

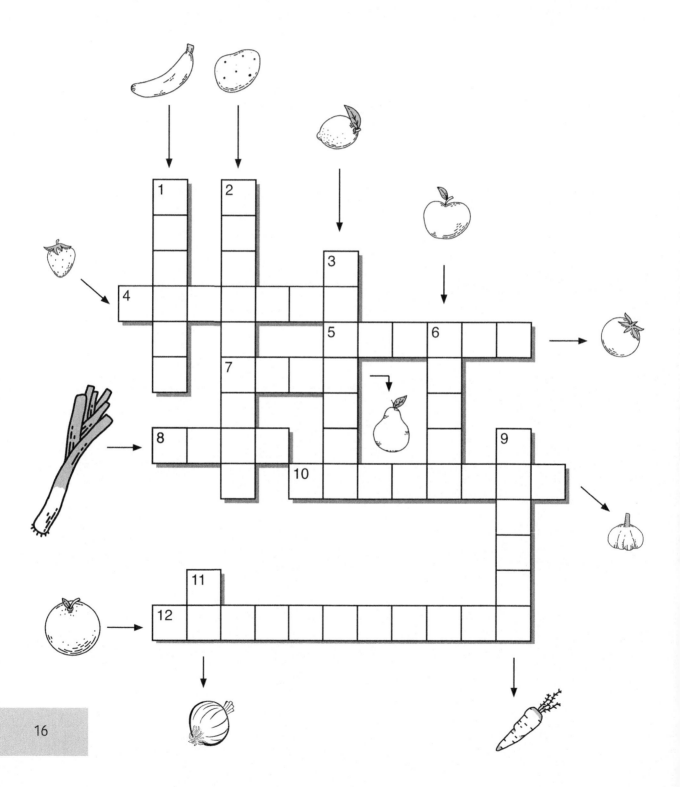

16

WERKWOORDEN

Woordzoeker

Kun je alle werkwoorden vinden?
Zoek horizontaal, verticaal en diagonaal.

aankomen	blijven	gaan	halen
afwassen	brengen	gebeuren	hebben
babbelen	doen	gebruiken	helpen
begrijpen	dromen	geloven	herhalen
bellen	durven	geven	
beslissen	duwen	gooien	

E	L	D	F	B	E	S	L	I	S	S	E	N	G	O
K	V	O	R	O	P	G	E	B	R	U	I	K	E	N
H	B	IJ	C	O	N	Y	E	IJ	D	O	E	N	A	Z
F	M	K	A	A	M	H	N	V	I	C	E	I	G	D
N	S	S	A	G	H	E	G	B	E	M	F	B	O	U
B	E	G	R	IJ	P	E	N	W	O	N	U	L	O	W
A	E	S	G	L	E	D	R	K	I	S	S	IJ	I	E
B	H	L	E	A	S	U	N	J	D	U	R	V	E	N
B	E	H	L	E	H	A	L	E	N	B	N	E	N	J
E	B	K	O	E	A	F	W	A	S	S	E	N	IJ	O
L	B	W	V	T	N	H	E	R	H	A	L	E	N	Z
E	E	K	E	O	H	U	G	E	B	E	U	R	E	N
N	N	B	N	A	B	D	V	B	R	E	N	G	E	N

Kruiswoordraadsel

Hoe heten deze dingen?

HORIZONTAAL

2	4	7	8	9

10	11	12	13	15

VERTICAAL

1	3	5	6

8	9	10	14

Woordzoeker

Kun je alle woorden vinden?
Zoek horizontaal, verticaal en diagonaal.

appartement	gezellig	lift	thuis
badkamer	huren	meubel	trap
flat	kamer	plaats	tuin
gang	kelder	slaapkamer	woonkamer
garage	keuken	tapijt	zolder

C	A	Z	W	D	O	L	E	P	F	T	IJ	S	Z	G
Y	W	O	S	L	A	A	P	K	A	M	E	R	K	A
U	A	L	E	A	H	M	F	G	T	K	A	M	E	R
IJ	L	D	U	B	T	E	G	L	K	A	P	T	L	A
W	I	E	R	P	G	U	G	L	A	M	P	E	I	G
O	F	R	J	Z	K	B	I	G	O	T	A	IJ	I	E
O	T	H	U	I	S	E	I	N	S	U	R	O	T	K
N	L	U	A	K	E	L	D	E	R	V	T	R	A	P
K	U	R	C	D	L	F	K	E	U	K	E	N	N	L
A	N	E	D	E	A	F	F	A	G	P	M	H	E	A
M	E	N	Z	E	G	T	U	I	N	M	E	U	M	A
E	N	E	IJ	R	U	Q	G	A	N	G	N	E	Y	T
R	G	B	A	D	K	A	M	E	R	X	T	V	E	S

Kruiswoordraadsel

Vul de juiste kleuren in.
Let op: de ij is één letter.

HORIZONTAAL

1) een tomaat is …
4) blauw + rood = …
5) de nacht is …
6) chocolade is …
7) een citroen is …
8) sneeuw is …

VERTICAAL

2) een sinaasappel is …
3) gras is …
6) de zee is …
7) zwart + wit = …

Woordzoeker

Kun je alle woorden vinden?
Zoek horizontaal, verticaal en diagonaal.

bier

wijn

cadeau

muziek

dansen

frieten

verjaardag

Kerstmis

Pasen

vieren

wensen

zingen

O	Z	K	R	D	E	H	L	U	T
V	E	R	J	A	A	R	D	A	G
J	T	IJ	Z	S	N	G	W	M	V
O	K	Y	L	E	M	N	IJ	F	W
T	D	E	S	U	E	O	N	A	E
E	U	A	K	G	O	A	F	E	N
X	P	A	N	S	F	U	G	E	S
N	M	I	U	S	L	Z	E	K	E
T	Z	G	N	O	E	Z	O	S	N
F	R	I	E	T	E	N	H	A	S
P	O	R	IJ	E	T	Q	A	R	M
O	T	U	P	C	A	D	E	A	U
K	E	R	S	T	M	I	S	D	Z
I	H	C	D	J	B	U	F	G	I
E	B	E	IJ	L	U	D	V	W	E
A	M	V	I	E	R	E	N	E	K

22

Welk woord betekent hetzelfde?
Let op: de ij is één letter.

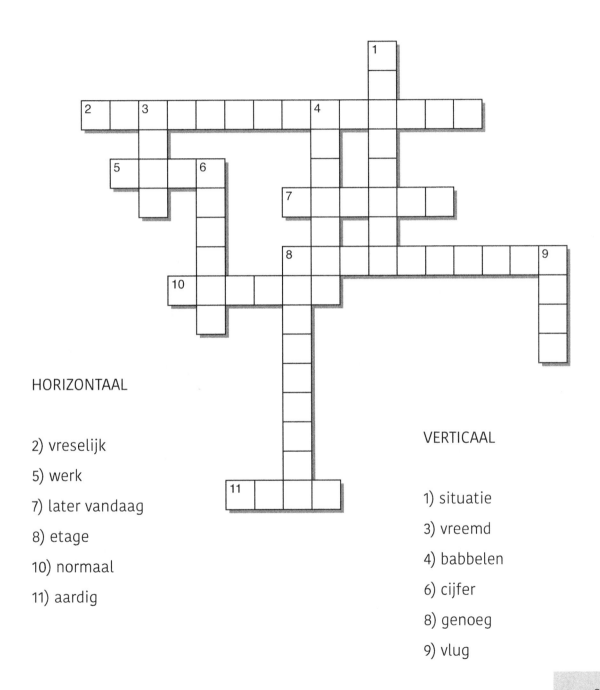

HORIZONTAAL

2) vreselijk

5) werk

7) later vandaag

8) etage

10) normaal

11) aardig

VERTICAAL

1) situatie

3) vreemd

4) babbelen

6) cijfer

8) genoeg

9) vlug

Woordzoeker

Kun je alle woorden vinden?
Zoek horizontaal, verticaal en diagonaal.

blad	gras	plant	winter
bloem	herfst	rivier	zee
boom	lente	seizoen	zomer
dier	mens	vuur	
dood	park	water	

G	W	E	O	L	C	Z	V	U	E	IJ	S	I	L	V
P	S	D	M	E	G	F	O	H	I	K	B	O	O	M
H	J	H	E	R	F	S	T	M	L	M	L	W	E	A
J	C	B	N	A	N	T	O	D	E	P	O	L	M	Z
K	IJ	L	S	R	O	E	O	I	R	R	E	F	W	E
S	V	N	U	E	C	O	A	U	H	J	M	G	I	R
E	B	B	L	A	D	F	U	G	K	S	U	S	N	O
I	N	A	E	R	I	V	I	E	R	Z	E	S	T	T
Z	F	E	U	Y	E	J	K	H	N	T	E	N	E	U
O	Z	N	A	T	R	E	R	G	O	P	A	S	R	D
E	B	V	N	Q	S	C	H	I	R	L	IJ	K	L	X
N	I	E	O	P	D	F	G	J	P	A	R	K	M	C
U	L	Y	T	R	W	A	T	E	R	E	S	Z	W	A

HET WEER

Kun je alle woorden vinden?
Zoek horizontaal, verticaal en diagonaal.

droog	misschien	sneeuwen	wind
klimaat	noorden	storm	wolk
koud	oosten	vriezen	zon
lucht	paraplu	warm	zuiden
maan	regenen	westen	

E	R	Y	U	I	O	V	R	I	E	Z	E	N	N	P
S	T	A	Z	D	D	F	J	I	O	P	S	O	D	E
F	S	G	H	N	L	U	C	H	T	IJ	Z	K	L	M
W	C	T	I	X	G	H	V	B	N	E	K	A	N	O
R	B	W	O	L	K	A	Z	E	R	T	L	E	Y	P
E	N	E	O	R	D	S	W	Q	I	P	I	O	U	A
G	F	S	S	G	M	U	A	H	J	H	M	K	IJ	R
E	L	T	T	M	E	W	R	C	C	V	A	B	N	A
N	Z	E	E	E	R	T	M	S	A	M	A	A	N	P
E	K	N	N	N	L	K	S	J	H	O	T	B	C	L
N	O	S	D	X	H	I	N	Z	U	I	D	E	N	U
V	U	A	T	E	M	C	N	O	O	R	D	E	N	U
O	D	R	O	O	G	F	A	H	U	K	M	N	E	A

Kruiswoordraadsel

Hoe noem je deze delen van het lichaam?

H = HORIZONTAAL

V = VERTICAAL

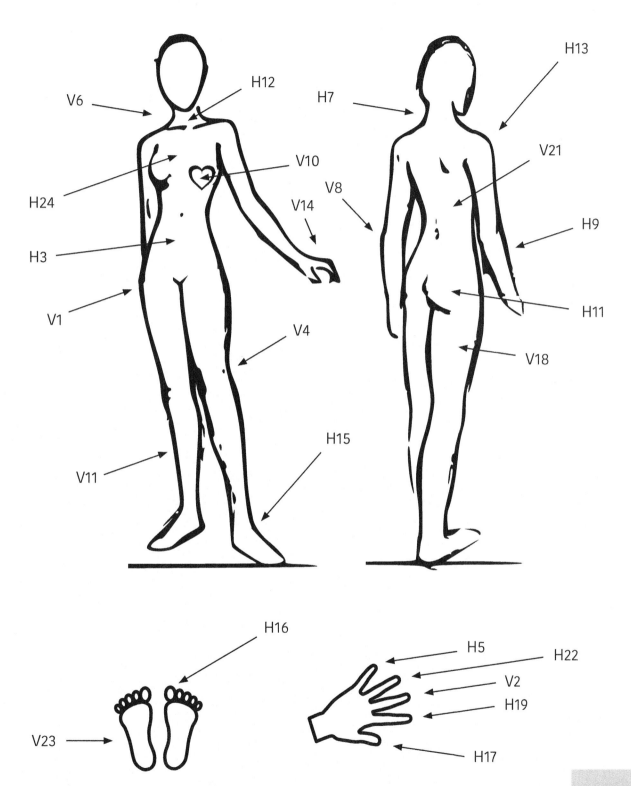

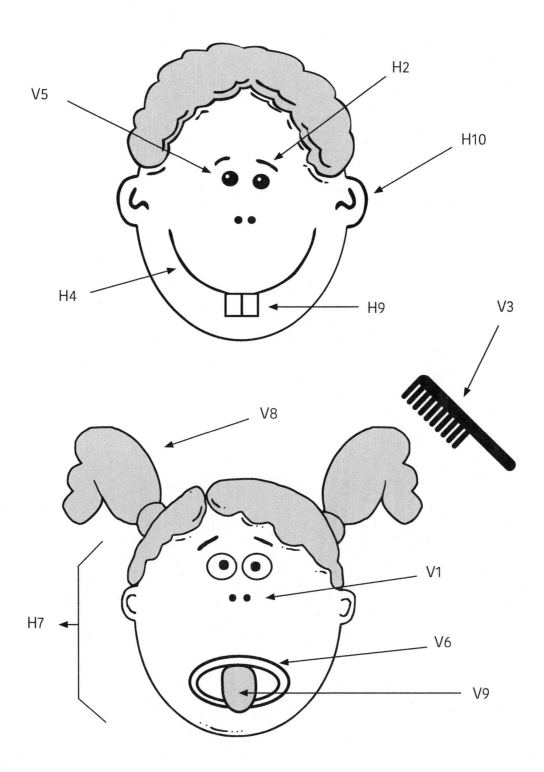

V5

H2

H10

H4

H9

V3

V8

V1

H7

V6

V9

Kruiswoordraadsel

Ken je de juiste woorden?

H = HORIZONTAAL

V = VERTICAAL

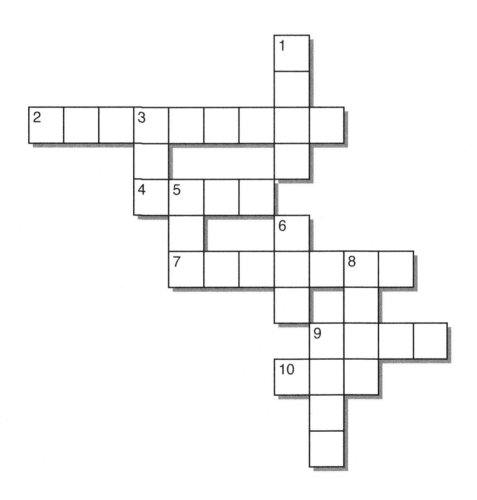

Woordzoeker

Kun je alle woorden vinden?
Zoek horizontaal, verticaal en diagonaal.

alfabet	klas	les	papier	taak
belangrijk	leerling	letter	pauze	tekst
beleefd	leraar	lezen	pen	toets
bijvoorbeeld	lerares	oefening	potlood	uitstekend
boek	leren	onderwijs	schrijven	

P	A	E	R	Y	U	O	S	C	H	R	IJ	V	E	N
L	A	T	U	I	T	S	T	E	K	E	N	D	P	I
E	T	P	A	U	Z	E	S	A	D	F	G	H	K	B
R	O	W	I	V	B	O	A	N	N	M	L	O	J	IJ
A	E	U	Y	E	E	T	R	E	B	B	E	N	A	V
R	T	S	S	Z	R	A	R	T	E	U	O	D	T	O
E	S	A	P	M	A	E	L	H	L	G	I	E	F	O
S	L	E	E	R	L	I	N	G	E	E	B	R	K	R
K	E	O	E	P	N	B	V	C	E	A	S	W	D	B
D	Z	L	T	E	K	S	T	P	F	Q	K	IJ	S	E
O	E	F	E	N	I	N	G	L	D	A	E	S	A	E
K	N	O	M	B	E	L	A	N	G	R	IJ	K	Z	L
N	L	E	T	T	E	R	K	P	O	T	L	O	O	D

Woordzoeker

Kun je alle woorden vinden?
Zoek horizontaal, verticaal en diagonaal.

antwoord

betekenen

cursus

denken

examen

fout

kennen

probleem

student

studeren

taal

universiteit

voorbeeld

vraag

weten

woord

O	H	A	F	G	U	K	E	M	L	S
K	L	U	A	S	D	J	X	W	U	L
N	B	A	Z	E	A	H	A	J	K	N
P	R	O	B	L	E	E	M	Z	E	R
V	E	G	F	L	V	T	E	K	U	E
V	S	C	A	O	U	Y	N	D	N	A
O	S	A	W	C	V	E	R	B	I	N
O	T	A	F	L	D	O	K	J	V	S
R	B	D	O	F	O	G	C	H	E	T
B	S	E	U	W	T	U	U	P	R	U
E	A	N	T	W	O	O	R	D	S	D
E	W	R	Z	E	A	N	S	A	I	E
L	W	E	C	O	K	V	U	B	T	N
D	A	M	T	L	K	E	S	J	E	T
S	T	U	D	E	R	E	N	H	I	G
A	Z	Y	O	U	N	P	S	E	T	D
I	E	R	T	K	E	N	N	E	N	F

HORIZONTAL

4	6	8	11	12

15	16	17	18	19

VERTICAAL

1	2	3	5

7	8	9	10

13	14	15

Kruiswoordraadsel

Vul de juiste woorden in.

Kruiswoordraadsel

Kun je de ontbrekende werkwoorden vinden?

H = HORIZONTAAL

V = VERTICAAL

Dag mevrouw, kan ik u ... (V5) ?

Ik wil een nieuwe jas ... (H2). Hoeveel ... (V4) deze ?

Deze 75 euro, maar die 120 euro.

Ik kan niet ... (H4) Kan ik die ook in de winter ... (V1) ?

Ja, dat kan zeker.

Dan ... (V3) ik hem. Kan ik met een creditcard ... (H6) ?

Natuurlijk.

Wist je dat?

Welke woorden ontbreken? Vul in.

Nederland is een _____ land sinds 1579.

Er _____ 17.5 miljoen mensen.

De _____ is Amsterdam. De officiële taal is het Nederlands.

In de regio Friesland is ook het Fries een officiële taal. Daar wonen 650.000 _____ .

België werd onafhankelijk in 1830. Het land heeft 11,4 _____ inwoners. De hoofdstad is

_____ .

Er zijn drie autonome regio's: Vlaanderen, Wallonië en Brussel.

In Vlaanderen wonen 6,6 miljoen mensen, in Wallonië 3,6 miljoen en in Brussel 1,2 miljoen.

De _____ talen zijn Nederlands in Vlaanderen en Brussel, Frans in Wallonië en Brussel en _____ in Oost-Wallonië.

Woordzoeker

Kun je alle woorden vinden?
Zoek horizontaal, verticaal en diagonaal.

bioscoop		R	E	K	E	N	I	N	G	T	V
café		A	F	O	K	F	P	N	B	E	E
computer		Z	U	C	L	I	E	D	C	L	R
dansen		E	N	B	O	L	D	I	G	E	H
film		R	R	C	V	M	L	W	M	V	A
hobby		T	E	K	O	J	P	G	F	I	A
lezen		P	S	M	L	P	H	U	D	S	L
lied		L	T	O	U	U	P	S	T	I	N
muziek		E	A	I	U	Z	Y	T	Z	E	A
plezierig		Z	U	H	V	Z	I	B	Z	V	R
puzzel		I	R	O	C	E	W	E	M	L	K
radio		E	A	B	F	L	L	G	K	H	J
rekening		R	N	B	I	O	S	C	O	O	P
restaurant		I	T	Y	D	S	R	A	D	I	O
telefoon		G	I	T	E	L	E	F	O	O	N
televisie		Y	U	D	A	N	S	E	N	O	P
verhaal											

Kruiswoordraadsel

Welk woord zoeken we?

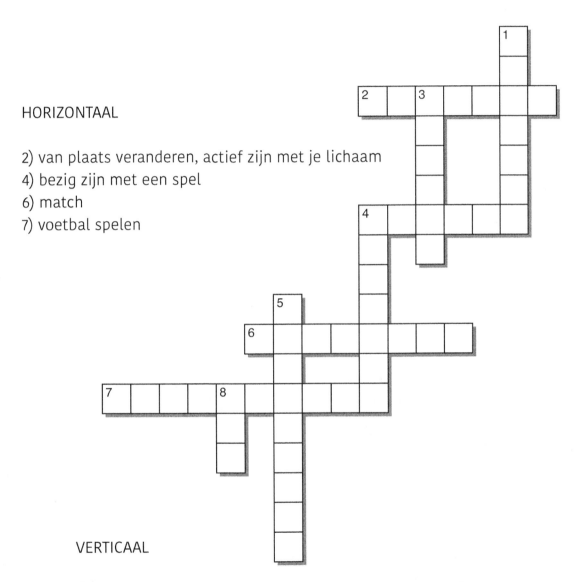

HORIZONTAAL

2) van plaats veranderen, actief zijn met je lichaam
4) bezig zijn met een spel
6) match
7) voetbal spelen

VERTICAAL

1) in het water liggen en bewegingen maken om vooruit te gaan
3) de beste zijn in een spel
4) aan sport doen
5) niet de winnaar worden
8) rond object dat je in sommige sporten gebruikt

Woordzoeker

Kun je alle woorden vinden?
Zoek horizontaal, verticaal en diagonaal.

bagage	reis
betalen	reizen
buitenland	souvenir
douane	sluiten
eindelijk	strand
geld	vakantie
hotel	vliegen
internationaal	vliegtuig
klant	wandelen
koffer	winkel
museum	zee
paspoort	zon
portefeuille	zwembroek
prijs	zwemmen

B	Z	I	N	T	E	R	N	A	T	I	O	N	A	A	L
N	A	E	R	F	G	K	K	P	A	S	P	O	O	R	T
I	P	S	K	J	L	IJ	H	W	M	S	C	D	IJ	S	V
P	O	U	G	E	L	D	T	T	R	E	N	Z	I	Q	A
G	R	D	F	E	W	N	B	E	T	A	L	E	N	N	B
W	E	IJ	D	G	A	C	V	E	R	O	R	P	Z	V	U
M	A	N	S	L	N	L	D	T	F	K	J	G	O	H	I
O	I	I	K	P	D	S	S	L	U	I	T	E	N	B	T
E	U	T	R	V	E	E	Z	O	A	N	B	V	C	W	E
Z	L	M	A	E	L	W	X	C	U	V	B	N	P	K	N
W	K	J	H	G	E	I	F	D	S	V	Q	P	O	O	L
E	R	T	W	I	N	K	E	L	U	A	E	I	R	F	A
M	U	S	E	U	M	G	E	G	Z	K	A	N	E	F	N
B	IJ	D	O	U	A	N	E	IJ	E	A	P	O	I	E	D
R	N	A	P	G	M	L	O	J	K	N	I	U	Z	R	IJ
O	E	R	A	T	E	S	D	H	O	T	E	L	E	F	Y
E	J	B	I	E	N	K	O	L	M	I	P	A	N	E	Z
K	H	U	Z	W	E	M	M	E	N	E	B	Y	F	T	E
G	T	P	O	R	T	E	F	E	U	I	L	L	E	R	D
A	W	Z	E	S	D	V	L	I	E	G	T	U	I	G	C

Woordzoeker

Kun je alle woorden vinden?
Zoek horizontaal, verticaal en diagonaal.

artikel

economie

foto

koning

minister

parlement

politicus

politiek

president

regering

sport

F	G	A	E	T	U	O	M	P	S	D
E	H	Z	R	O	F	L	I	G	O	M
D	C	H	T	G	I	K	N	F	D	S
S	J	O	H	K	L	I	I	M	S	P
P	F	C	N	A	N	K	S	L	W	O
O	K	V	M	O	P	E	T	F	K	L
I	L	E	K	C	M	O	E	K	T	I
U	M	P	E	L	N	I	R	N	P	T
Y	W	A	R	T	I	K	E	L	R	I
S	C	E	A	K	B	M	S	L	E	C
T	P	S	T	R	E	N	S	E	S	U
R	V	O	M	L	C	V	B	N	I	S
E	B	L	R	K	I	G	H	F	D	S
Z	N	A	A	T	Z	E	R	T	E	U
A	P	O	L	I	T	I	E	K	N	I
R	E	G	E	R	I	N	G	P	T	O

TUSSENWERPSELS

Ken jij het juiste woord?

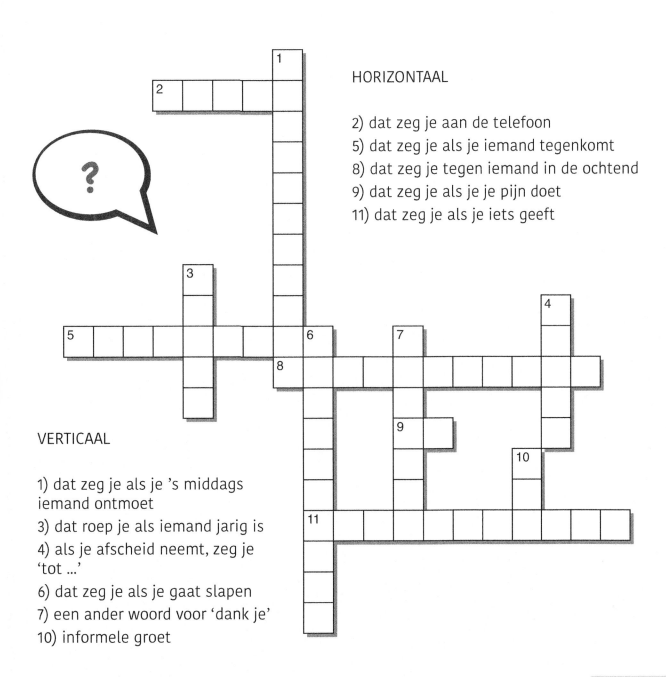

HORIZONTAAL

2) dat zeg je aan de telefoon
5) dat zeg je als je iemand tegenkomt
8) dat zeg je tegen iemand in de ochtend
9) dat zeg je als je je pijn doet
11) dat zeg je als je iets geeft

VERTICAAL

1) dat zeg je als je 's middags iemand ontmoet
3) dat roep je als iemand jarig is
4) als je afscheid neemt, zeg je 'tot ...'
6) dat zeg je als je gaat slapen
7) een ander woord voor 'dank je'
10) informele groet

Woordzoeker

Kun je alle werkwoorden vinden?
Zoek horizontaal, verticaal en diagonaal.

hopen	kunnen	maken	pakken
horen	laten	meegaan	praten
kijken	leggen	moeten	proberen
kletsen	liggen	mogen	
komen	lopen	nemen	
krijgen	luisteren	ontmoeten	

U	H	M	E	E	G	A	A	N	E	P	A	O	L	W
P	O	E	B	N	K	L	E	T	S	E	N	V	E	C
K	P	C	V	A	Z	K	U	N	N	E	N	B	G	M
O	E	V	E	R	K	T	I	O	P	L	S	D	G	O
M	N	B	D	A	U	E	D	N	L	K	O	F	E	E
E	W	T	P	R	A	T	E	N	S	M	L	P	N	T
N	M	N	M	H	O	R	E	N	I	O	R	K	E	E
I	L	E	Z	O	E	R	T	U	K	R	IJ	G	E	N
L	U	I	S	T	E	R	E	N	M	IJ	A	F	E	J
O	K	N	N	B	A	T	E	K	A	M	K	G	C	V
S	J	A	O	T	Y	T	E	L	K	IJ	O	E	J	H
D	H	R	Z	R	A	IJ	O	N	E	M	E	N	N	G
F	P	G	E	L	I	G	G	E	N	P	S	D	E	F

Woordzoeker

Kun je alle woorden vinden?
Zoek horizontaal, verticaal en diagonaal.

S	D	E	F	J	G	K	O	H	L
E	C	W	D	O	K	T	E	R	M
V	B	N	IJ	A	Z	R	T	V	E
O	F	D	S	P	O	I	U	O	Y
A	W	C	B	N	M	V	U	O	M
P	IJ	N	A	Z	E	R	T	R	U
O	A	S	P	O	D	IJ	I	Z	S
T	D	T	E	H	I	L	M	I	P
H	F	G	I	A	C	E	U	C	A
E	IJ	K	L	E	IJ	H	T	H	F
E	W	C	G	V	N	B	U	T	S
K	E	Z	I	E	K	T	A	I	P
T	R	U	K	P	Z	L	A	G	R
B	N	E	A	V	C	O	W	M	A
W	I	V	IJ	K	O	N	N	E	A
Z	F	O	R	Z	S	A	H	D	K

afspraak

apotheek

dokter

gezond

medicijn

patiënt

pijn

voorzichtig

ziek

ziekenhuis

43

Kruiswoordraadsel

Wat is het tegenovergestelde?

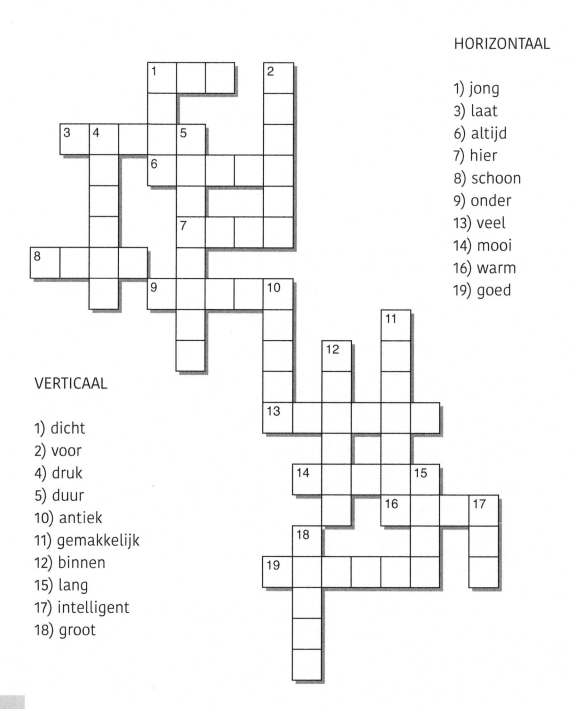

HORIZONTAAL

1) jong
3) laat
6) altijd
7) hier
8) schoon
9) onder
13) veel
14) mooi
16) warm
19) goed

VERTICAAL

1) dicht
2) voor
4) druk
5) duur
10) antiek
11) gemakkelijk
12) binnen
15) lang
17) intelligent
18) groot

Kruiswoordraadsel

Hoe heten deze dingen?

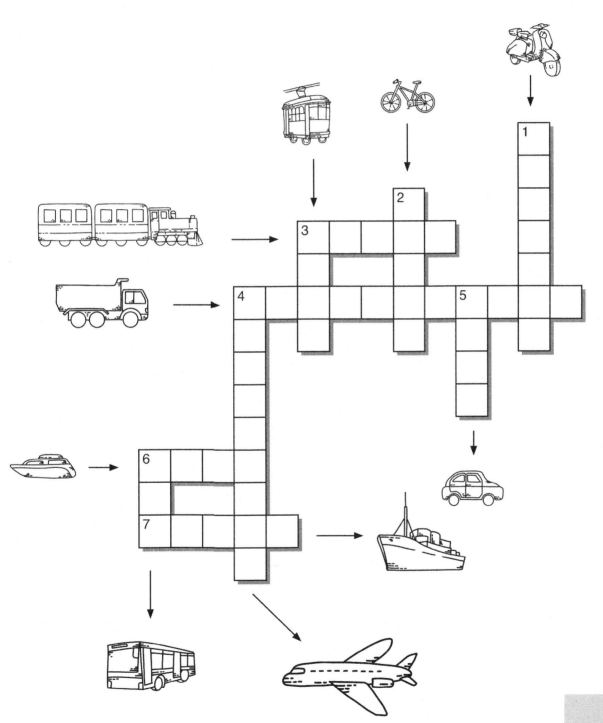

Kruiswoordraadsel

Ken je het juiste woord?

HORIZONTAAL

4) een voertuig ergens zetten en een tijdje laten staan

6) een constructie om bijvoorbeeld over water van de ene naar de andere kant te gaan

8) zonder links of rechts af te slaan

10) de plaats waar treinen aankomen en vertrekken

14) de plek waar een weg over een andere weg gaat

16) iemand die met een auto rijdt

18) Aan de kant van je lichaam waar je hart zit

19) de rails waar een trein over rijdt

20) als een auto tegen een andere auto rijdt, dan gebeurt er een ...

21) niet snel, traag

VERTICAAL

1) wie voor zijn beroep met een auto rijdt

2) zonder gevaar

3) een smal stuk grond voor het verkeer

5) op wielen bewegen

7) niet veilig

9) aan de kant van de hand waarmee de meeste mensen schrijven

11) met een fiets rijden

12) iets waardoor iets anders gebeurt

13) niet langzaam

15) de plaats in een station waar je in en uit de trein kunt stappen

17) de kant waar je naartoe gaat

19) een weg waar huizen langs staan

Woordzoeker

Kun je alle woorden vinden?
Zoek horizontaal, verticaal en diagonaal.

centrum
dorp
ergens
gebouw
kantoor
markt
nergens
plein
politie
politieagent
postkantoor
stadhuis
straat
supermarkt
verdieping

E	K	A	N	T	O	O	R	T	A	S
Z	R	P	T	U	E	I	K	O	N	P
D	F	O	G	H	J	R	K	E	L	M
S	W	S	V	B	A	N	G	A	Z	E
P	R	T	U	M	I	R	D	E	O	G
O	S	K	D	F	E	G	O	H	N	P
L	W	A	M	N	L	K	R	I	J	S
I	S	N	C	V	B	N	P	S	A	U
T	E	T	R	T	Y	E	L	T	U	P
I	S	O	A	P	I	O	E	R	G	E
E	D	O	J	D	K	M	I	A	E	R
A	F	R	R	L	H	A	N	A	B	M
G	G	E	H	W	E	U	B	T	O	A
E	V	P	O	L	I	T	I	E	U	R
N	V	C	Z	O	E	A	N	S	W	K
T	C	E	N	T	R	U	M	V	R	T

Welke woorden zoeken we?

Het **Koninkrijk der Nederlanden** bestaat uit vier landen: Nederland, Aruba, Curaçao en Sint-Maarten. De eilanden Bonaire, Sint-Eustatius en Saba zijn bijzondere gemeenten: ze hebben een aparte status binnen Nederland. We noemen ze **Caribisch Nederland**. Samen met de landen Aruba, Curaçao en Sint-Maarten vormen ze het **Caribisch deel van het Koninkrijk**.

Bron: https://www.rijksoverheid.nl

In het Nederlands gebruiken we woorden uit de indianentalen uit de Caribische regio. Weet jij welke? De letters staan door elkaar!

Tip: de woorden komen uit een *indianencultuur* in een *tropisch klimaat*.

K O A N R A	_____	A T K A B	_____
O N A K	_____	N A L B A K N I A	_____
C B E A B U R E	_____	S N A A N A	_____
M A H T A N G	_____	N A P I D	_____

Kruiswoordraadsel

Kun je alle woorden vinden?
Let op: de ij is één letter.

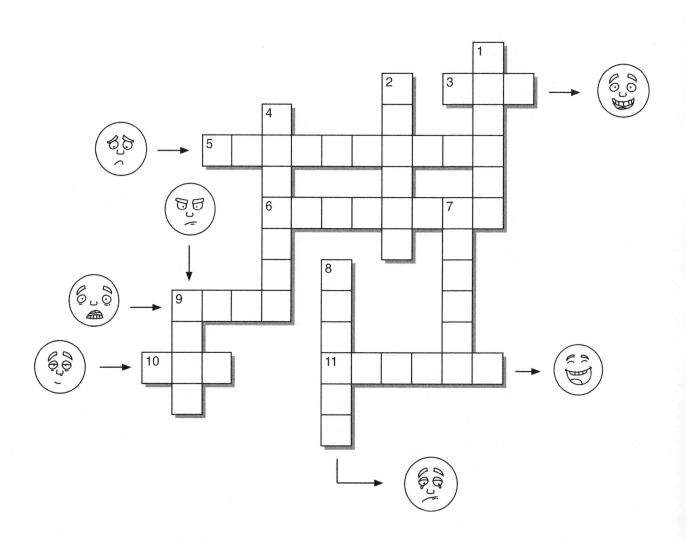

HORIZONTAAL

6) content

VERTICAAL

1) zeggen dat je niet tevreden bent

2) een gevoel hebben

4) aangenaam, fijn

7) een sterk gevoel

Kruiswoordraadsel

Hoe heten deze dieren?

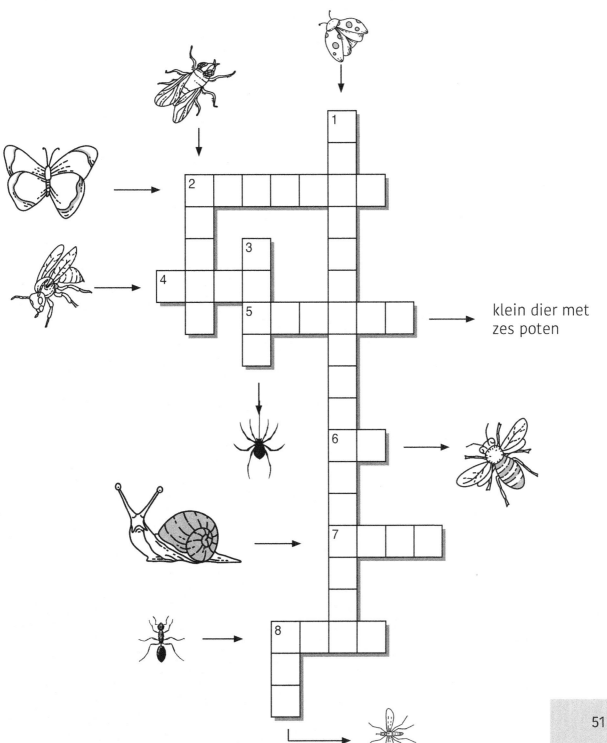

klein dier met
zes poten

Woordzoeker

Kun je alle woorden vinden?

advocaat	leerkracht
ambtenaar	piloot
bakker	politicus
bediende	politieagent
bloemist	postbode
buschauffeur	schoonmaakster
clown	secretaresse
docent	slager
dokter	tandarts
fietsenmaker	tuinman
journalist	verkoper
kok	verpleegkundige

D	J	O	U	R	N	A	L	I	S	T	O	B	S	E	K
S	F	P	O	L	I	T	I	C	U	S	M	A	S	C	O
C	B	L	O	E	M	I	S	T	G	H	L	K	P	H	K
H	E	A	M	B	T	E	N	A	A	R	K	K	P	B	N
O	D	D	P	M	U	N	B	Z	E	K	M	E	O	L	E
O	I	V	O	L	W	S	O	U	IJ	R	T	R	L	G	O
N	E	O	S	K	C	V	C	L	O	W	N	P	I	T	U
M	N	C	T	J	F	P	G	H	H	D	S	D	T	U	P
A	D	A	B	A	S	I	E	R	A	T	N	U	I	I	O
A	E	A	O	H	K	L	M	N	O	U	B	V	E	N	D
K	J	T	D	G	L	O	A	W	K	C	F	A	A	M	O
S	T	Y	E	O	F	O	D	G	P	S	O	F	G	A	K
T	R	U	B	A	C	T	E	R	E	T	U	I	E	N	T
E	E	O	V	N	Z	E	M	L	U	R	O	K	N	U	E
R	Z	I	P	C	L	W	N	M	D	F	G	E	T	H	R
B	N	A	L	P	M	S	L	T	A	N	D	A	R	T	S
G	H	J	R	S	E	C	R	E	T	A	R	E	S	S	E
F	L	E	E	R	K	R	A	C	H	T	K	W	C	V	O
D	V	E	R	K	O	P	E	R	I	O	P	S	U	Y	T
A	Z	F	I	E	T	S	E	N	M	A	K	E	R	E	R

Kruiswoordraadsel

Geef het tegenovergestelde.
Let op: de ij is één letter.

HORIZONTAAL

3) vol
6) alles
9) iemand
10) juist
13) leuk
15) ver
16) nat
17) smal

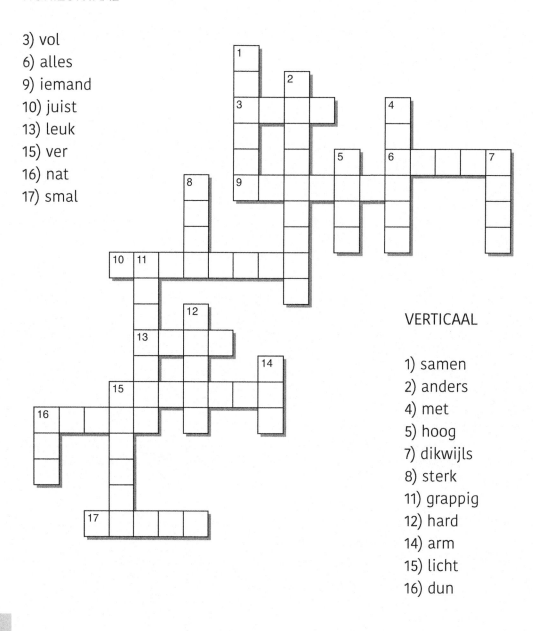

VERTICAAL

1) samen
2) anders
4) met
5) hoog
7) dikwijls
8) sterk
11) grappig
12) hard
14) arm
15) licht
16) dun

54

Woordzoeker

Kun je alle werkwoorden vinden?
Zoek horizontaal, verticaal en diagonaal.

reageren	staan	weigeren	zien
roepen	vallen	werken	zijn
roken	vinden	willen	zitten
slaan	volgen	worden	zoeken
slapen	vragen	zeggen	zullen
spreken	wassen	zetten	zwijgen

A	W	Z	I	T	T	E	N	W	E	R	K	E	N	Z
V	O	Z	E	R	T	R	IJ	O	N	P	S	Z	D	F
O	R	M	I	L	N	S	E	E	K	J	H	W	G	W
L	D	W	C	E	V	S	L	A	A	N	B	IJ	V	E
G	E	R	G	E	N	L	Z	A	G	A	N	G	A	I
E	N	A	T	A	U	U	O	P	P	E	I	E	L	G
N	R	H	A	Z	G	F	V	D	S	E	R	N	L	E
V	K	T	L	W	E	L	I	M	Z	C	N	E	E	R
B	S	P	R	E	K	E	N	R	O	E	P	E	N	E
N	A	E	O	R	T	IJ	D	H	O	P	G	C	V	N
Z	O	E	K	E	N	U	E	E	T	R	A	G	N	B
P	I	Z	E	T	T	E	N	Z	W	I	L	L	E	N
D	F	C	N	B	N	W	A	S	S	E	N	Z	IJ	N

Woordzoeker

Kun je alle woorden vinden?
Zoek horizontaal, verticaal en diagonaal.

baard
boek
cadeau
dak
december
gedicht
mandarijn
mijter
paard
pepernoot
schoen
surprise
Spanje
staf
wortel

E	Z	R	T	O	Y	G	P	M	A	S
M	K	H	M	IJ	T	E	R	G	F	D
A	S	L	W	C	Z	D	N	S	A	E
N	G	T	F	D	V	I	B	C	O	W
D	J	K	A	L	M	C	P	H	E	D
A	R	G	D	F	D	H	N	O	V	E
R	A	B	T	R	E	T	F	E	G	C
IJ	C	L	A	IJ	J	H	S	N	U	E
N	S	A	M	A	W	I	X	A	S	M
A	P	IJ	L	M	R	F	E	G	P	B
S	T	P	W	P	J	D	K	H	A	E
E	R	V	R	B	A	N	E	S	N	R
D	R	U	T	C	Y	U	G	O	J	D
A	S	I	W	O	R	T	E	L	E	B
K	S	A	Z	E	H	B	O	E	K	Q
W	V	P	E	P	E	R	N	O	O	T

LEENWOORDEN

Deze woorden zijn Nederlands, maar ze komen allemaal uit een andere taal. Welke taal?

VERTICAAL	HORIZONTAAL
1) knäckebröd	2) kabaal
2) veranda	4) exit
3) duet	5) überhaupt
6) kiosk	9) karaf
7) siësta	10) blunder
8) metropool	

Kruiswoordraadsel

Ken je de hoofdstad van elk land?
Let op: de ij is één letter.

HORIZONTAAL	VERTICAAL
6) Brazilië	1) Hongarije
8) Zuid-Afrika	2) Venezuela
9) Griekenland	3) Polen
10) Italië	4) Marokko
11) Irak	5) Verenigde Staten
14) Japan	7) Zweden
15) Denemarken	12) Rusland
17) Thailand	13) Turkije
18) Nederland	14) Iran
19) Frankrijk	16) Cuba
20) Verenigd Koninkrijk	17) België
21) Afghanistan	19) China
23) Rwanda	20) Peru
24) Ierland	22) Duitsland

Kruiswoordraadsel

Welke werkwoorden zoeken we?
Ze beginnen allemaal met ver-.
Let op: de ij is één letter.

HORIZONTAAL

3) krijgen omdat je er recht op hebt

5) begrijpen, horen

6) niet hetzelfde blijven

7) met woorden zeggen

VERTICAAL

1) geven als je geld krijgt

2) iets niet meer weten, niet denken aan iets

4) er plots niet meer zijn

5) weggaan

Woordzoeker

Kun je alle woorden vinden?
Zoek horizontaal, verticaal en diagonaal.

bijna

ding

doos

gratis

inlichting

meestal

minstens

ongeveer

ook

toevallig

tot ziens

vergadering

verschil

verschillend

zeker

V	E	R	S	C	H	I	L	L	E	N	D
A	Z	E	T	O	E	V	A	L	L	I	G
R	V	T	Y	O	U	G	R	A	T	I	S
F	E	S	W	V	N	B	G	H	IJ	P	O
L	R	D	K	I	H	G	S	D	S	Z	A
M	G	A	D	Z	J	N	E	F	P	E	R
O	A	W	C	N	E	A	Z	V	O	U	T
O	D	E	V	T	R	K	T	U	E	I	O
K	E	P	S	B	S	T	E	D	U	E	F
A	R	N	Z	E	R	D	S	R	O	P	R
F	I	N	L	I	C	H	T	I	N	G	H
M	N	O	W	V	E	R	S	C	H	I	L
A	G	D	E	M	L	B	IJ	N	A	K	G
G	H	O	G	V	J	B	K	I	L	S	E
B	N	O	M	T	O	T	Z	I	E	N	S
V	N	S	W	C	M	E	E	S	T	A	L

Woordzoeker

Welk voorzetsel ontbreekt in de zin?
Je mag elk voorzetsel maar één keer gebruiken.
Elk puntje is één letter.

1. We zitten . . . tafel.
2. De kat zit . . . . . . de kast.
3. Ik blijf altijd . . jou!
4. De lamp hangt . . . . . de tafel.
5. Ik ga straks . . . . de supermarkt.
6. Er zitten vogels . . de tuin.
7. Er staan bomen . . . . . de weg.
8. Voor mij een friet . . . mayonaise, alstublieft.
9. De kinderen fietsen . . . . het park.
10. Je buur woont . . . . . je.
11. De school begint . . halfnegen.
12. De hond ligt . . . . . de tafel.
13. Het boek ligt . . de kast.
14. De bal vliegt . . . . de muur.
15. We wonen hier . . . . . 2019.
16. Zet je fiets maar . . . . . die boom.
17. We studeren . . . we klaar zijn.
18. Adam komt . . . Engeland.
19. Dit is het huis . . . mijn tante.
20. We rijden van Breda naar Delft . . . Rotterdam.
21. De auto staat . . . . het huis.
22. Ik drink koffie . . . . . . suiker.

Kun je alle voorzetsels vinden?

U	H	J	W	C	V	R	B	N	E	K	O	L	V	C	N
A	B	N	Z	E	E	R	T	U	I	P	P	S	D	I	N
I	O	K	A	V	N	V	B	D	V	C	W	L	F	G	K
A	V	L	O	D	F	O	G	V	O	V	H	M	T	H	O
O	E	E	E	Z	A	O	R	T	U	O	I	O	O	K	T
P	N	A	A	R	J	R	K	W	C	V	R	N	T	P	M
A	A	Z	A	E	L	T	R	U	O	L	P	B	N	L	E
S	Z	I	M	W	C	E	V	B	L	N	A	Z	U	I	T
Z	V	E	R	T	T	U	I	Z	O	N	D	E	R	O	L
D	F	G	P	H	S	D	J	K	L	W	X	C	Y	N	S
E	L	V	C	B	S	N	F	O	M	A	E	A	A	N	R
E	S	A	G	F	D	I	S	G	Q	P	O	O	I	U	T
R	D	H	N	J	K	A	N	Z	H	E	N	R	Y	U	O
R	N	F	H	G	L	G	F	D	D	S	D	T	P	V	E
T	A	K	J	V	S	B	N	F	S	G	E	L	Z	A	R
U	A	G	L	H	E	T	A	I	H	K	R	B	T	N	H
Y	S	M	W	C	R	Y	O	D	B	IJ	W	V	U	G	E
I	T	E	G	E	N	U	Z	S	P	J	M	C	F	E	Z

Kruiswoordraadsel

Deze woorden in andere talen komen uit
het Nederlands. Wat is het oorspronkelijke
Nederlandse woord?

HORIZONTAAL

3) *rymkletser* (Afrikaans)

5) *mannequin* (Frans)

7) *karan* (Japans)

8) *kiermasz* (Pools)

VERTICAAL

1) *birokrasi* (Indonesisch)

2) *friyaridei* (Sranantongo, in Suriname)

4) *ankor* (Russisch)

6) *cookie* (Engels)

Woordenslang

Welk woord zoeken we? De laatste letter van elk
woord is de eerste letter van het volgende woord.
Let op: de ij is één letter.

Woordenslang

Welk woord zoeken we?
De laatste letter van elk woord is de eerste letter
van het volgende woord. Let op: de ij is één letter.

1. gezellig praten

2. de zoon van je broer of zus

3. de tweede maand van het jaar

4. een heel klein dier met zes poten

5. een ander woord voor situatie

6. als je wilt drinken, dan heb je ...

7. een warme drank van planten

8. de dag voor gisteren

9. een ander woord voor cijfer

10. het deel van je lichaam onder je schouders

11. niet te veel en niet te weinig

12. gebouw bij je huis om de auto te parkeren

13. dit zeg je als je lang op iets hebt gewacht

14. de plaats onder een huis

15. de ministers van een land

16. een ander woord voor snel

17. iets niet willen doen

18. lichaamsdeel tussen je hoofd en je schouders

19. een groot dier dat melk geeft

20. het deel van je arm dat werkt zoals je knie

21. wat niet duur is

22. een man in de politiek

23. een oranje stuk fruit

24. laten horen dat je vrolijk bent: 'hahaha'

25. een naam geven

Welk woord kun je maken met de letters uit de grijze vakjes?

OPLOSSINGEN

p. 6

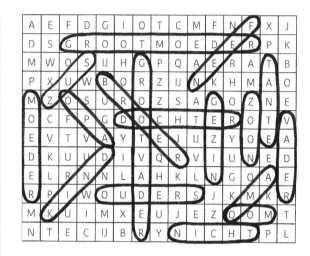

p. 7

p. 8

p. 9

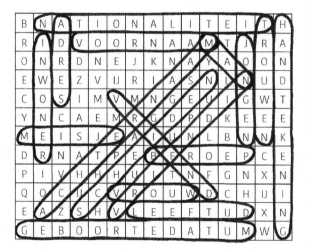

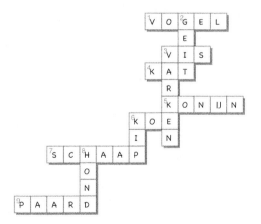

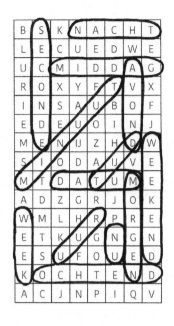

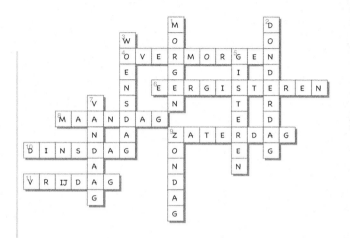

p. 10　　p. 11

p. 12　　p. 13

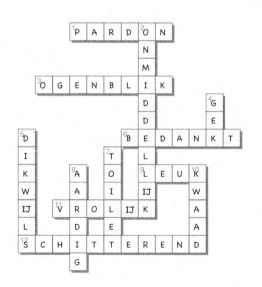

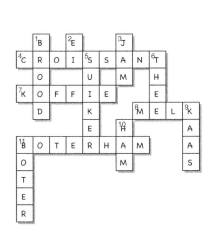

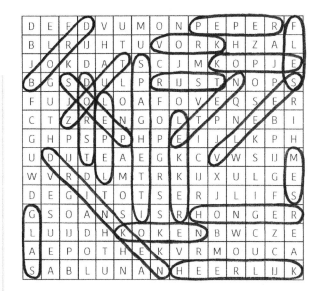

p. 14 p. 15

p. 16 p. 17

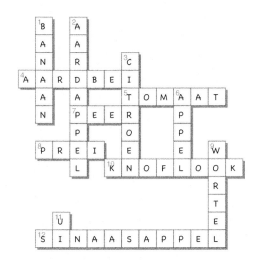

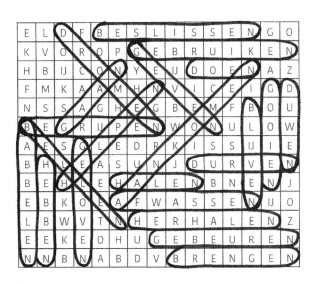

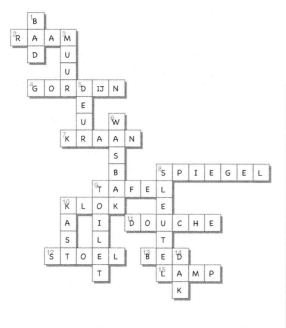

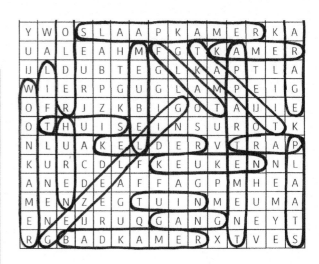

p. 19   p. 20

p. 21   p. 22

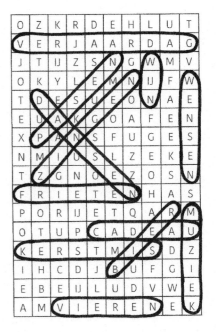

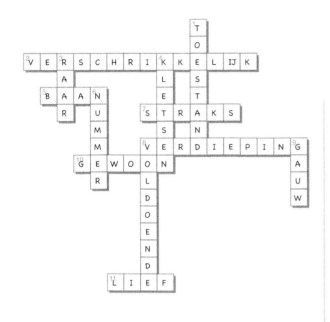

p. 23   p. 24

p. 25   p. 26

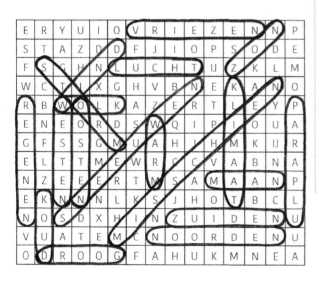

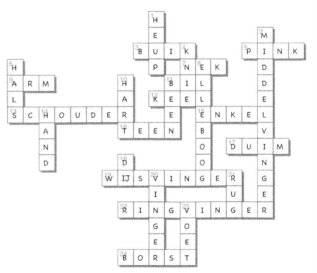

p. 29

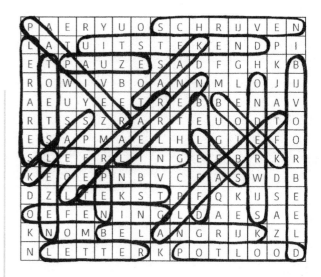

p. 30

p. 31

p. 33

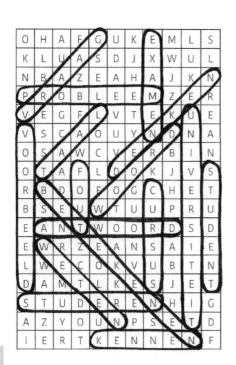

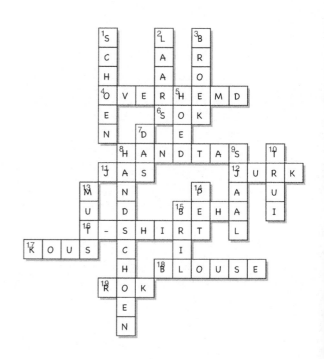

Nederland

onafhankelijk

hoofdstad

wonen

mensen

België

miljoen

Brussel

officiële

Duits

p. 34   p. 35

p. 36   p. 37

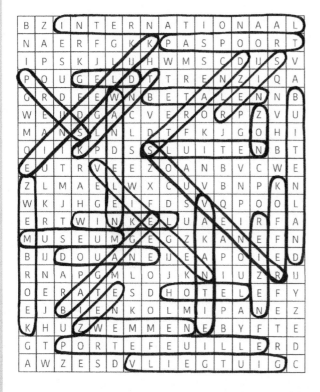

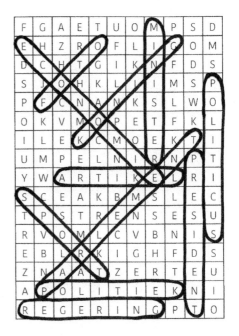

p. 39   p. 40

p. 41   p. 42

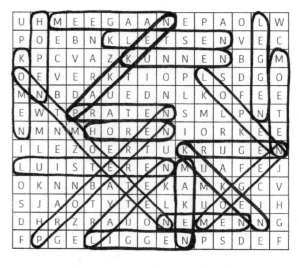

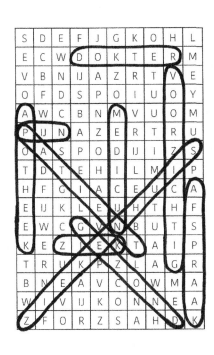

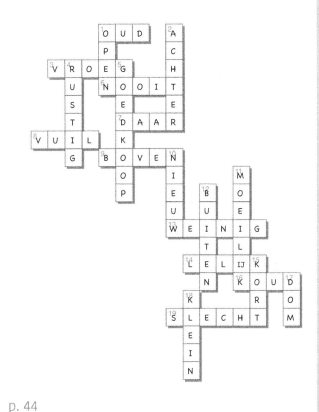

p. 43 | p. 44

p. 45 | p. 47

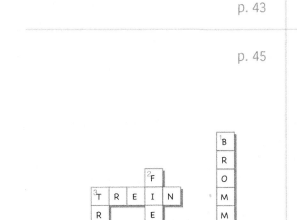

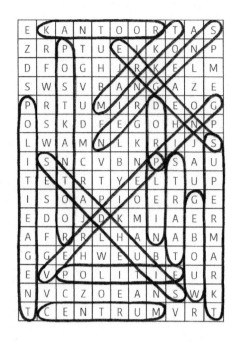

ORKAAN

KANO

BARBECUE

HANGMAT

TABAK

KANNIBAAL

ANANAS

PINDA

p. 48   p. 49

p. 50   p. 51

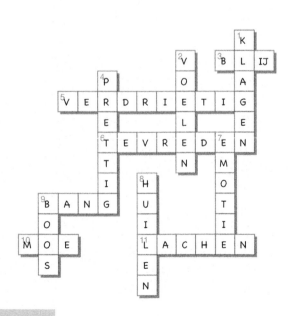

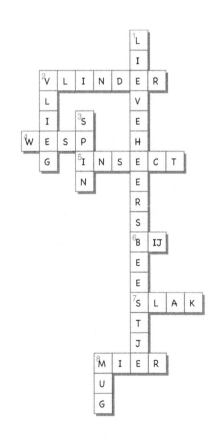

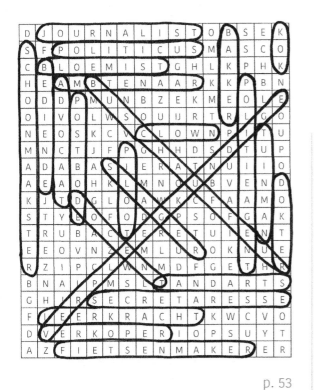

p. 53

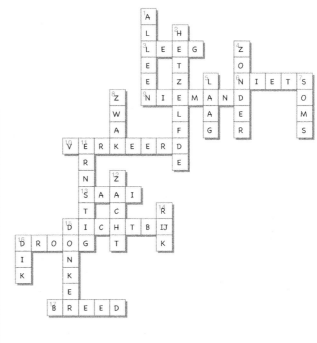

p. 54

p. 55

p. 56

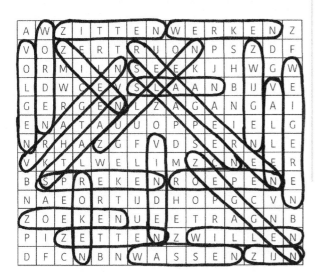

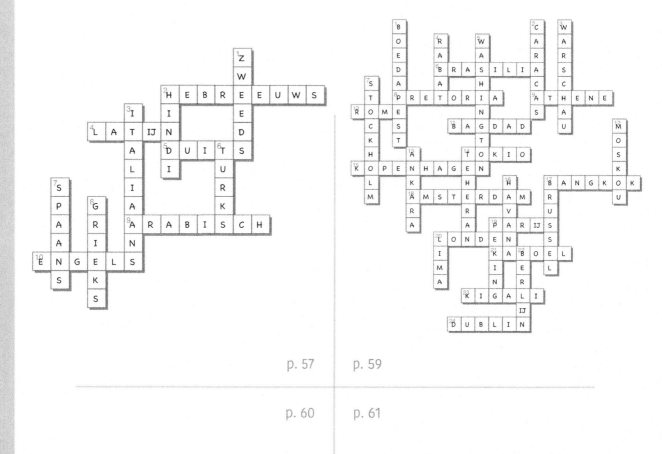

p. 57   p. 59

p. 60   p. 61

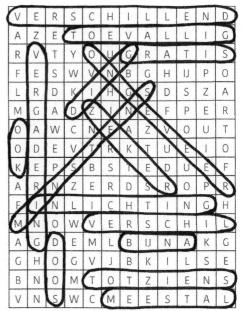

80

1. We zitten **aan** tafel.
2. De kat zit **achter** de kast.
3. Ik blijf altijd **bij** jou!
4. De lamp hangt **boven** de tafel.
5. Ik ga straks **naar** de supermarkt.
6. Er zitten vogels **in** de tuin.
7. Er staan bomen **langs** de weg.
8. Voor mij een friet **met** mayonaise, alstublieft.
9. De kinderen fietsen **door (naar)** het park.
10. Je buur woont **naast** je.
11. De school begint **om** halfnegen.
12. De hond ligt **onder** de tafel.
13. Het boek ligt **op** de kast.
14. De bal vliegt **over** de muur.
15. We wonen hier **sinds** 2019.
16. Zet je fiets maar **tegen** die boom.
17. We studeren **tot** we klaar zijn.
18. Adam komt **uit** Engeland.
19. Dit is het huis **van** mijn tante.
20. We rijden van Breda naar Delft **via** Rotterdam.
21. De auto staat **voor** het huis.
22. Ik drink koffie **zonder** suiker.

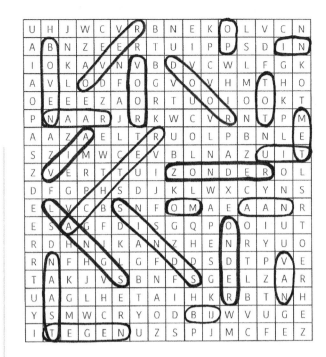

p. 62   p. 63

p. 64   p. 65   p. 66-67

		B				
		U				
		R				
V		E				
E	R	A	P	P	E	R
R		U				
J	A	C				
M A N N E K E N						

Crossword answers: BUREAU, VERJAARDAG, RAPPER, MANNEKEN, ACR, KRAAN, KERMIS, KOEJE

varken
neus
stoel
lamp
pet
tand
dokter
raam
muts
sjaal

1. babbelen
2. neef
3. februari
4. insect
5. toestand
6. dorst
7. thee
8. eergisteren
9. nummer
10. rug
11. genoeg
12. garage
13. eindelijk

14. kelder
15. regering
16. gauw
17. weigeren
18. nek
19. koe
20. elleboog
21. goedkoop
22. politicus
23. sinaasappel
24. lachen
25. noemen
FEEST

WOORDENLIJST

NEDERLANDS

Hier vind je alle woorden uit dit boek. De woorden die je niet kent, kun je opzoeken in een woordenboek. Schrijf de vertaling op.

ENGELS

This is a list of all the words from this book. You can look up the words that you don't know in a dictionary. Write the translation down.

FRANS

Voici la liste de tous les mots de ce livre. Y a-t-il des mots que vous ne connaissez pas? Recherchez-les dans un dictionnaire et notez la traduction.

aan		Afrikaans het	
aan tafel		afslaan	
aangenaam		afspraak de	
aankomen		afwassen	
aardappel de		alfabet het	
aardbei de		alle	
aardig		alleen	
acht		allemaal	
achter		alles	
achternaam de		alstublieft	
actief		altijd	
adres het		ambtenaar de	
advocaat de		Amsterdam	
Afghanistan		ander	

anders		Bagdad	
Ankara		bakker de	
anker het		bal de	
antoniem het		banaan de	
antwoord het		bang	
apart		Bangkok	
apotheek de		bed het	
appartement het		bedankt	
appel de		bediende de	
april		been het	
Arabisch		beginnen	
arm		begrijpen	
arm de		beha de	
artikel het		belangrijk	
Athene		beleefd	
au		België	
augustus		bellen	
auto de		Berlijn	
autonoom		beroep het	
avond de		beslissen	
baan de		beste de	
baard de		bestuurder de	
babbelen		betalen	
bad het		betekenen	
badkamer de		bewegen	
bagage de		beweging de	

bezig zijn		Brasilia	
bier het		Brazilië	
bij de		breed	
bij		brengen	
bijna		bril de	
bijvoorbeeld		broek de	
binnen		broer de	
bioscoop de		brommer de	
blad het		brood het	
blauw		brug de	
blij		bruin	
blijven		Brussel	
bloem de		buik de	
bloemist de		buiten	
blouse de		buitenland het	
blunder de		bureaucratie de	
Boedapest		bus de	
boek het		buschauffeur de	
boom de		cadeau het	
boos		café het	
boot de		Caracas	
bord het		Caribisch	
borst de		centrum het	
boter de		chauffeur de	
boterham de		China	
boven		chocolade de	

cijfer het		deur de	
citroen de		deze	
clown de		diagonaal	
computer de		dicht	
constructie de		dichtbij	
creditcard de		die	
croissant de		dier het	
Cuba		dik	
cursus de		dikwijls	
daar		ding het	
dag		dinsdag de	
dag de		dit	
dak de		docent de	
dan		dochter de	
dank je / u		doen	
dansen		dokter de	
das de		dom	
dat		donderdag de	
datum de		donker	
de		dood	
december		door	
deel het		door elkaar	
Denemarken		doos de	
denken		dorp het	
dertien		dorst de	
dertig		douane de	

dragen		Engeland	
drie		Engels het	
drinken		er	
dromen		ergens	
droog		ernstig	
druk		etage de	
Dublin		eten	
duet het		euro de	
Duits het		examen het	
Duitsland		exit de	
duizend		familie de	
dun		familielid het	
durven		februari	
duur		feest het	
duwen		fiets de	
economie de		fietsen	
een		fietsenmaker de	
één		fijn	
eergisteren		film de	
eerste		flat de	
ei het		fles de	
eindelijk		foto de	
elf		fout	
elk		Frankrijk	
elleboog de		Frans het	
emotie de		Friesland	

friet ^{de}		gisteren	
fruit ^{het}		glas ^{het}	
gaan		goed	
gang ^{de}		goedemiddag	
garage ^{de}		goedemorgen	
gauw		goedenacht	
gebeuren		goedendag	
geboortedatum ^{de}		goedkoop	
gebouw ^{het}		gooien	
gebruiken		gordijn ^{het}	
gedicht ^{het}		grappig	
geel		gras ^{het}	
geit ^{de}		gratis	
gek		Griekenland	
geld ^{het}		Grieks ^{het}	
geloven		grijs	
gemakkelijk		groen	
genoeg		groente ^{de}	
gevaarlijk		groot	
geven		grootmoeder ^{de}	
gevoel ^{het}		grootvader ^{de}	
gewoon		haar	
gezellig		haar ^{de/het}	
gezicht ^{het}		halen	
gezin ^{het}		hallo	
gezond		hals ^{de}	

ham de		hoi	
hand de		hond de	
handschoen de		honderd	
handtas de		Hongarije	
handtekening de		honger de	
hard		hoofd het	
hart het		hoofdstad de	
Havana		hoog	
hebben		hopen	
Hebreeuws het		horen	
heel		horizontaal	
heerlijk		hotel het	
helpen		huilen	
hem		huis het	
herfst de		huren	
herhalen		identiteit de	
het		iemand	
heten		Ierland	
hetzelfde		ik	
hier		in	
Hindi het		indiaan de	
hobby de		Indonesisch	
hoe		inlichting de	
hoed de		insect het	
hoera		intelligent	
hoeveel		internationaal	

invullen		karaf de	
inwoner de		kast de	
Irak		kat de	
Iran		keel de	
Italiaans het		kelder de	
Italië		kennen	
jam de		kermis de	
januari		Kerstmis	
Japan		keuken de	
Japans het		kiezen	
jas de		Kigali	
je / jij		kijken	
jong		kind het	
jongen de		kiosk de	
journalist de		kip de	
juist		klagen	
juli		klant de	
juni		klas de	
jurk de		kleding de	
kaas de		klein	
kabaal het		kleren de	
Kaboel		kletsen	
kam de		kleur de	
kamer de		klimaat het	
kant de		klok de	
kantoor het		knäckebröd het	

knie de		kunnen	
knoflook de		kwaad	
koe de		laag	
koek de		laars de	
koekje het		laat	
koffer de		laatste	
koffie de		lachen	
kok de		lamp de	
koken		land het	
komen		lang	
konijn het		langs	
koning de		langzaam	
koninkrijk het		laten	
kop de		later	
kopen		Latijn het	
Kopenhagen		leeftijd de	
kopje het		leeg	
kort		leerkracht de	
kosten		leerling de	
koud		leggen	
kous de		lekker	
kraan de		lelijk	
krant de		lente de	
krijgen		lepel de	
kruispunt het		leraar de	
kruiswoordraadsel het		lerares de	

leren		mandarijn de	
les de		manneken het (oud Vlaams woord)	
letter de		mannequin de	
leuk		markt	
lezen		Marokko	
lichaam het		medicijn het	
licht		meegaan	
lied het		meestal	
lief		mei	
lieveheersbeestje het		meisje het	
lift de		melk de	
liggen		mens de	
Lima		mes het	
links		met	
lip de		meteen	
Londen		metropool de	
lopen		meubel het	
lucht de		mevrouw de	
luisteren		middag de	
maan de		mier de	
maand de		mijter de	
maandag de		miljoen het	
maar		minister de	
maart		minstens	
maken		minuut de	
man de		misschien	

moe		neef ^{de}	
moeder ^{de}		negen	
moeilijk		nek ^{de}	
moeten		nemen	
mogen		nergens	
moment ^{het}		neus ^{de}	
mond ^{de}		nicht ^{de}	
mooi		niemand	
morgen		niet	
morgen ^{de}		niets	
Moskou		nieuw	
mug ^{de}		noemen	
museum ^{het}		nooit	
muts ^{de}		noorden ^{het}	
muur ^{de}		normaal	
muziek ^{de}		november	
naam ^{de}		nu	
naar		nummer ^{het}	
naartoe		nuttig	
naast		object ^{het}	
nacht ^{de}		ochtend ^{de}	
nat		oefening ^{de}	
nationaliteit ^{de}		officieel	
natuur ^{de}		ogenblik ^{het}	
natuurlijk		oktober	
Nederland		om	

oma de		over	
omdat		overhemd het	
onafhankelijk		overmorgen	
onder		paard het	
onderwijs het		paars	
ongeluk het		pakken	
ongeveer		papier het	
onmiddellijk		paraplu de	
ontbijt het		pardon	
ontbreken		Parijs	
ontmoeten		park het	
oog het		parkeren	
ook		parlement het	
oom de		Pasen	
oor het		paspoort het	
oorspronkelijk		patiënt de	
oorzaak de		pauze de	
oosten het		peer de	
op		Peking	
opa de		pen de	
open		peper de	
opletten		pepernoot de	
oplossing de		perron het	
oranje		Peru	
oud		pet de	
ouder de		pijn de	

piloot de		probleem het	
plaats de		punt de/het	
plant de		puzzel de	
plein het		raam het	
plek de		raar	
plezierig		Rabat	
plots		radio de	
Polen		rail de	
politicus de		rapper de	
politie de		reageren	
politieagent de		recht het	
politiek de		recht hebben op	
Pools		rechtdoor	
poot de		rechts	
portefeuille de		regenen	
postbode de		regering de	
postkantoor het		regio de	
potlood het		reis de	
prachtig		reizen	
praten		rekening de	
prei de		restaurant het	
president de		richting de	
Pretoria		rijden	
prettig		rijk	
prijs de		rijst de	
proberen		rivier de	

roepen		seizoen het	
rok de		september	
roken		siësta de	
Rome		sinaasappel de	
rond		sinds	
rood		Sinterklaas	
rug de		situatie de	
Rusland		sjaal de	
Russisch		slaan	
rustig		slager de	
Rwanda		slak de	
saai		slapen	
samen		slecht	
schaap het		sleutel de	
scheiden		sluiten	
schip het		smal	
schitterend		sneeuwen	
schoen de		sneeuw de	
school de		snel	
schoon		soep de	
schoonmaakster de		sok de	
schouder de		sommige	
schrijven		soms	
seconde de		soort de/het	
slaapkamer de		sorry	
secretaresse de		souvenir het	

Spaans het		student de	
spaghetti de		studeren	
Spanje		stuk het	
spelen		suiker de	
spel het		supermarkt de	
spiegel de		Suriname	
spin de		surprise de	
spoor het		synoniem het	
sport de		T-shirt het	
sporten		taak de	
spreken		taal de	
Sranantongo het		tachtig	
staan		tafel de	
stad de		tand de	
stadhuis het		tandarts de	
staf de		tante de	
stappen		tapijt het	
station het		teen de	
status de		tegen	
sterk		tegenovergestelde het	
Stockholm		Teheran	
stoel de		tekst de	
storm de		telefoon de	
straat de		televisie de	
straks		tevreden	
strand het		Thailand	

thee ^{de}

thuis

tien

tijd ^{de}

toestand ^{de}

toets ^{de}

toevallig

toilet ^{het}

Tokio

tomaat ^{de}

tong ^{de}

tot

tot ziens

tram ^{de}

trap ^{de}

trein ^{de}

tropisch

trouwen

trui ^{de}

tuin ^{de}

tuinman ^{de}

Turkije

Turks ^{het}

tussenwerpsel ^{het}

twaalf

twee

twee

twintig

u

überhaupt

ui ^{de}

uit

uitstekend

universiteit ^{de}

uur ^{het}

vaak

vader ^{de}

vak ^{het}

vakantie ^{de}

vallen

van

vandaag

varken ^{het}

veel

veertien

veertig

veilig

Venezuela

ver

veranda ^{de}

veranderen

verdienen

verdieping de		vijf	
verdrietig		vinden	
verdwijnen		vinger de	
Verenigd Koninkrijk het		vis de	
Verenigde Staten de		Vlaams	
vergadering de		Vlaanderen	
vergeten		vlees het	
verhaal het		vlieg de	
verjaardag de		vliegen	
verkeer het		vliegtuig het	
verkeerd		vlug	
verkopen		voelen	
verkoper de		voertuig het	
verliezen		voet de	
verpleegkundige de		voetballen	
verschil het		voetbal de = bal, het = sport	
verschillend		vogel de	
verschrikkelijk		vol	
verstaan		voldoende	
vertellen		volgen	
verticaal		volgend(e)	
vertrekken		voor	
via		voorbeeld het	
vier		voornaam de	
vieren		vooruit	
vlinder de		voorzetsel het	

voorzichtig		Washington	
vork de		wassen	
vormen		wat	
vraag de		water het	
vrachtwagen de		wc de	
vragen		we / wij	
vreemd		wedstrijd de	
vreselijk		week de	
vriend de		weekend het	
vriendelijk		weer het	
vriendin de		weg de	
vriezen		weggaan	
vrij		weigeren	
vrijdag de		weinig	
vrije tijd de		welk	
vroeg		wenkbrauw de	
vrolijk		wensen	
vrouw de		werk het	
vuil		werken	
vuur het		werkwoord het	
waar		wesp de	
Wallonië		westen het	
wandelen		weten	
warm		wiel het	
Warschau		wijn de	
wasbak de		willen	

wind de		zien	
winkel de		zijn	
winnaar de		zijn	
winnen		zin de	
winter de		zingen	
wit		zitten	
woensdag de		zoals	
wolk de		zoeken	
wonen		zolder de	
woonkamer de		zomer de	
woord het		zon de	
woordenlijst de		zondag de	
woordenslang de		zonder	
woordzoeker de		zoon de	
worden		zout het	
wortel de		Zuid-Afrika	
zacht		zuiden het	
zaterdag de		zullen	
zee de		zus de	
zeggen		zwak	
zeker		zwart	
zes		Zweden	
zetten		Zweeds het	
zeven		zwembroek de	
ziek		zwemmen	
ziekenhuis het		zwijgen	

Over de auteur

Peter Schoenaerts studeerde Taal- en Letterkunde (Nederlands en Engels) aan de KU Leuven en aan Westminster College, Oxford. Nadien volgde hij een acteeropleiding aan de American Academy of Dramatic Arts in New York. Peter gaf les aan het Instituut voor Levende Talen in Leuven en schreef mee aan verscheidene Nederlandse taalmethodes en publicaties. Daarnaast werkte hij als eindredacteur bij het weekblad HUMO en als expert Nederlands als vreemde taal bij de Taalunie. Tegenwoordig acteert en regisseert hij voor theater en televisie. Hij werkt ook als schrijver en uitgever.

Meer informatie: **www.peterschoenaerts.com**

Uitgeverij Boeklyn

Uitgeverij Boeklyn brengt informatieve en leerrijke publicaties op de markt. Onze kernwaarden zijn: originaliteit, creativiteit en respect voor diversiteit. Boeklyn stimuleert zijn auteurs om boeken te schrijven die maatschappelijk relevant zijn, op welk vlak dan ook.

Meer informatie: **www.boeklyn.com**

Volg ons op sociale media

facebook
@PSchoenaerts
@boeklyn

Instagram
@peter_schoenaerts
@uitgeverij_boeklyn

Printed in Great Britain
by Amazon